Apresentação

Oba! Caligrafia é a brincadeira que eu mais gosto!

Preparamos um caderninho muito divertido para a sua letrinha ficar bem bonita. Cada página tem uma letra do alfabeto diferente para você aprender a escrever tudo no capricho. É tão gostoso como brincar no recreio com seus amiguinhos. Depois que você começar, você não vai querer mais parar. E o melhor de tudo é que você vai fortalecer sua coordenação motora e adquirir firmeza na mão para ter um traço perfeito. Viu que legal? Agora é só pegar um lápis e uma borracha e começar a brincadeira!

Todos os direitos desta edição reservados
para Editora Pé da Letra
www.pedaletra.com
(11) 3733-0404 | 3687-7198

Direção Editorial
James Misse

Projeto gráfico, diagramação e revisão de texto
Quatria Projetos Especiais

Equipe editorial
Gustavo Mendes
Felipe Fiuza (diagramação e ilustrações)
Marcos Reis (textos e revisão)

Caligrafia

COLEÇÃO

Linhas&Letrinhas
Letra Cursiva

A árvore onde o passarinho mora
Começa com a letra G e fica no jardim da escola

G G

G

G

G

a a

a

a

árvore árvore

Aproveite para colorir

Complete as letras faltantes!

folh c iu d rvore.

O barco que cruza as águas do rio
Começa com a letra ß e leva o vovô para a casa do titio

b b

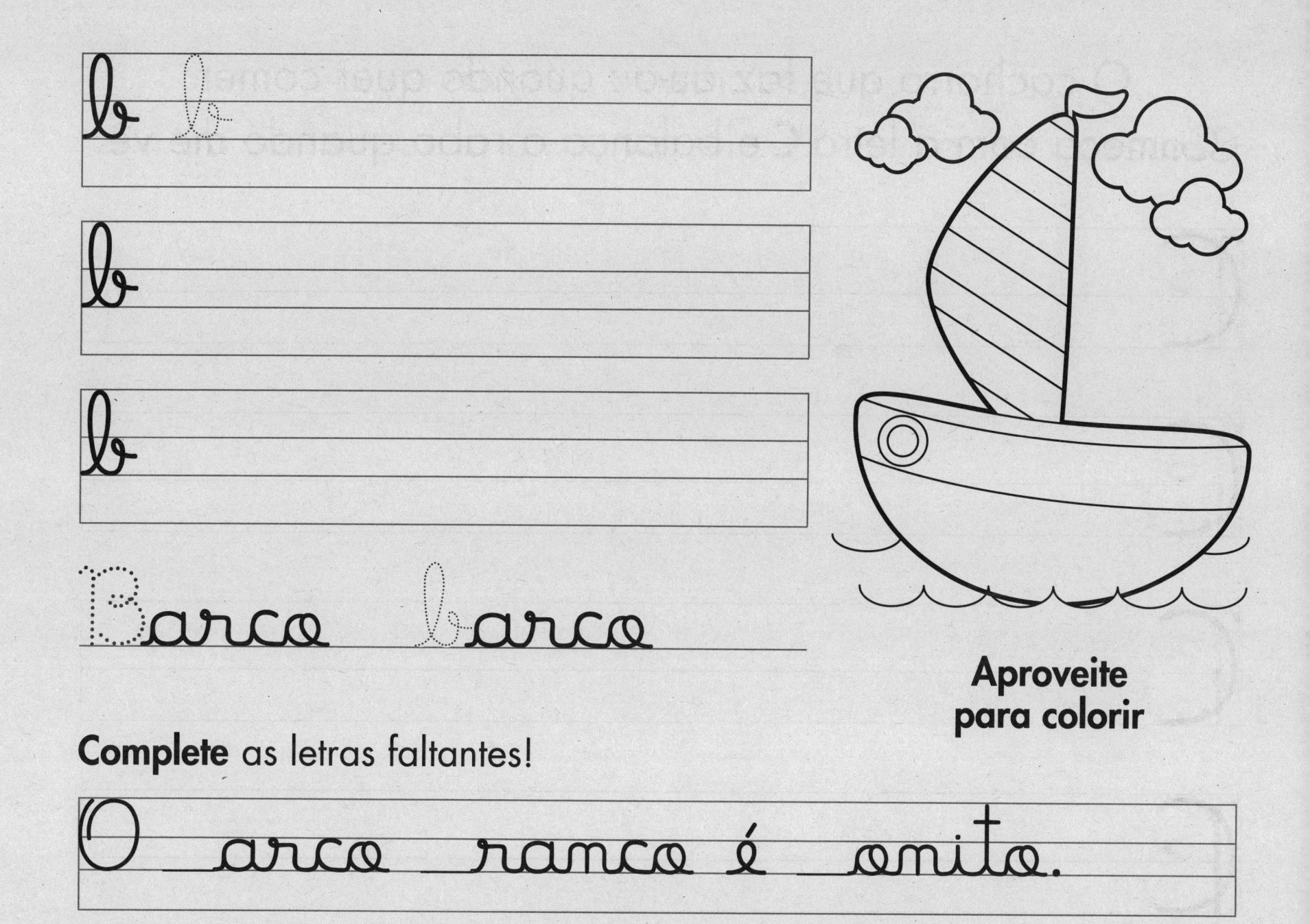

b

b

b

Barco barco

Aproveite para colorir

Complete as letras faltantes!

O barco ranco é onito.

O cachorro que faz au-au quando quer comer
Começa com a letra C e balança o rabo quando me vê

c c

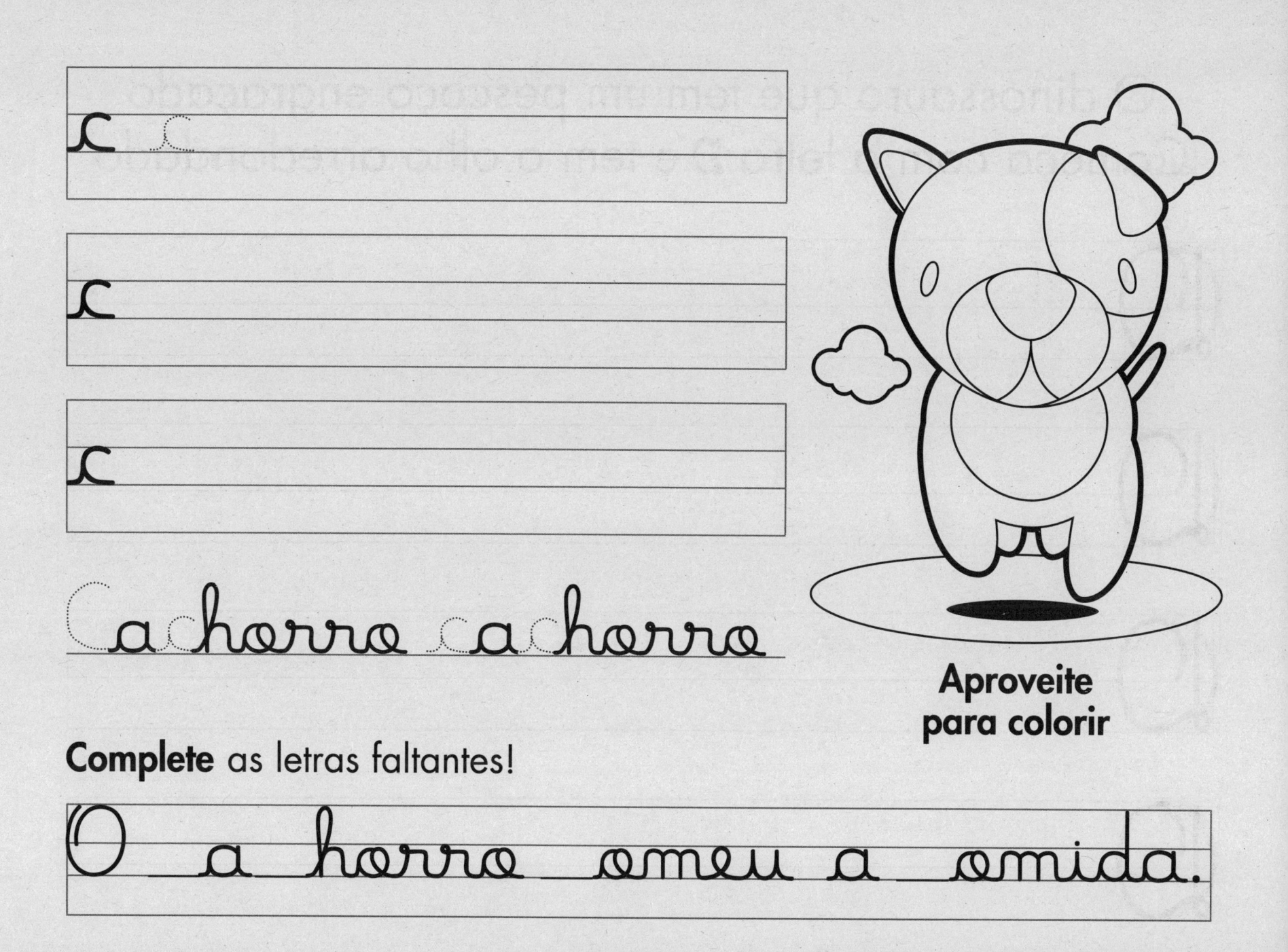

c

c

Cachorro cachorro

Aproveite para colorir

Complete as letras faltantes!

O _a horro _omeu a _omida.

O dinossauro que tem um pescoço engraçado
Começa com a letra D e tem o olho arredondado

d d

d

d

Dinossauro dinossauro

Aproveite para colorir

Complete as letras faltantes!

ois inossauros ançaram a música.

O elefante que vive na floresta
Começa com a letra ε e gosta muito de uma festa

ℓ ℓ

ℓ

ℓ

Elefante elefante

Aproveite para colorir

Complete as letras faltantes!

O l fant scutou a música.

A foca que brinca com a bola no nariz
Começa com a letra F e está sempre feliz

f f

f

f

Foca foca

Aproveite para colorir

Complete as letras faltantes!

A foca ficou com fome.

O gato que faz miau
Começa com a letra G e mora no quintal

g g

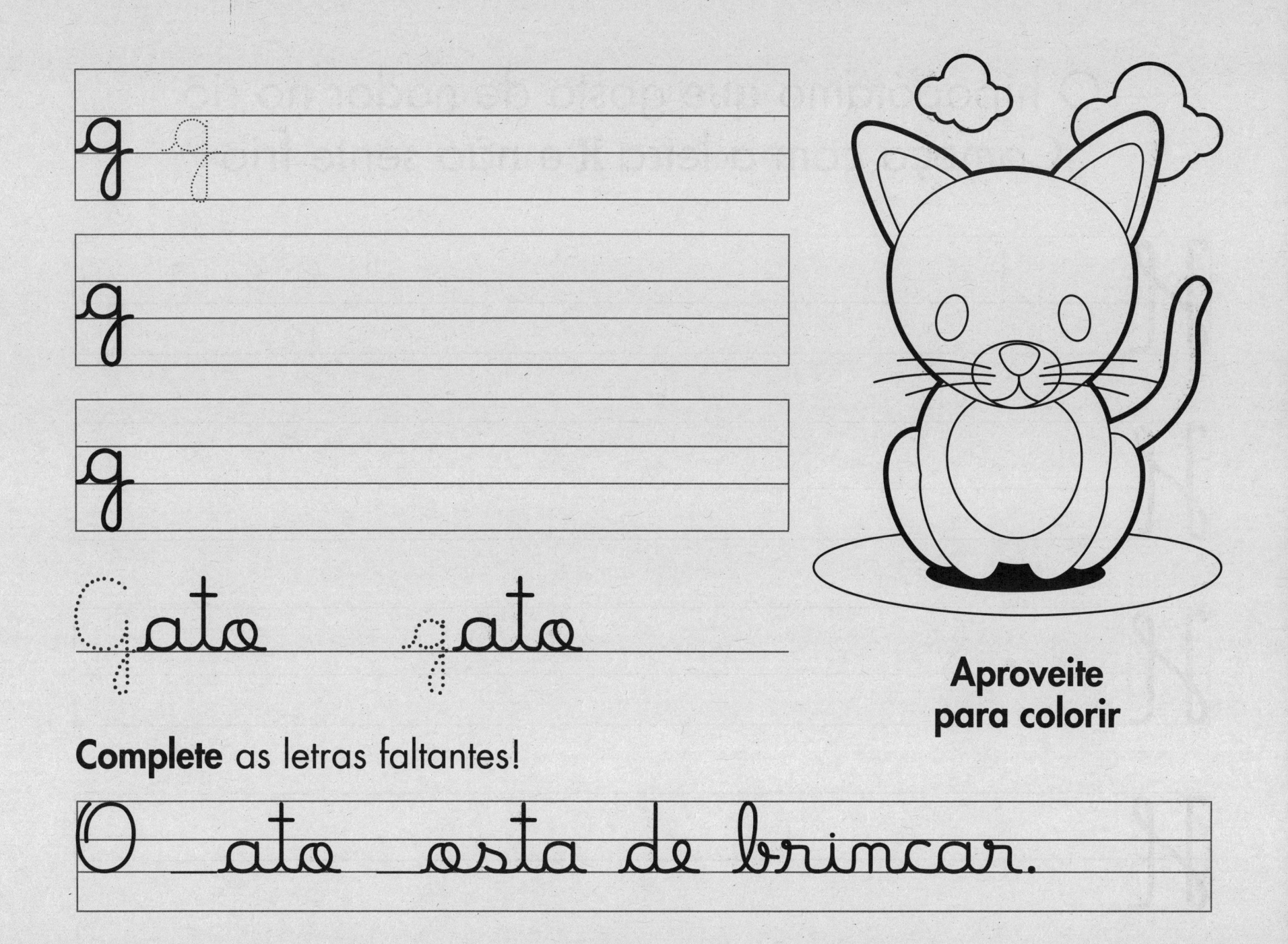

g

g

Gato gato

Aproveite para colorir

Complete as letras faltantes!

O ato osta de brincar.

O hipopótamo que gosta de nadar no rio
Começa com a letra H e não sente frio

h h

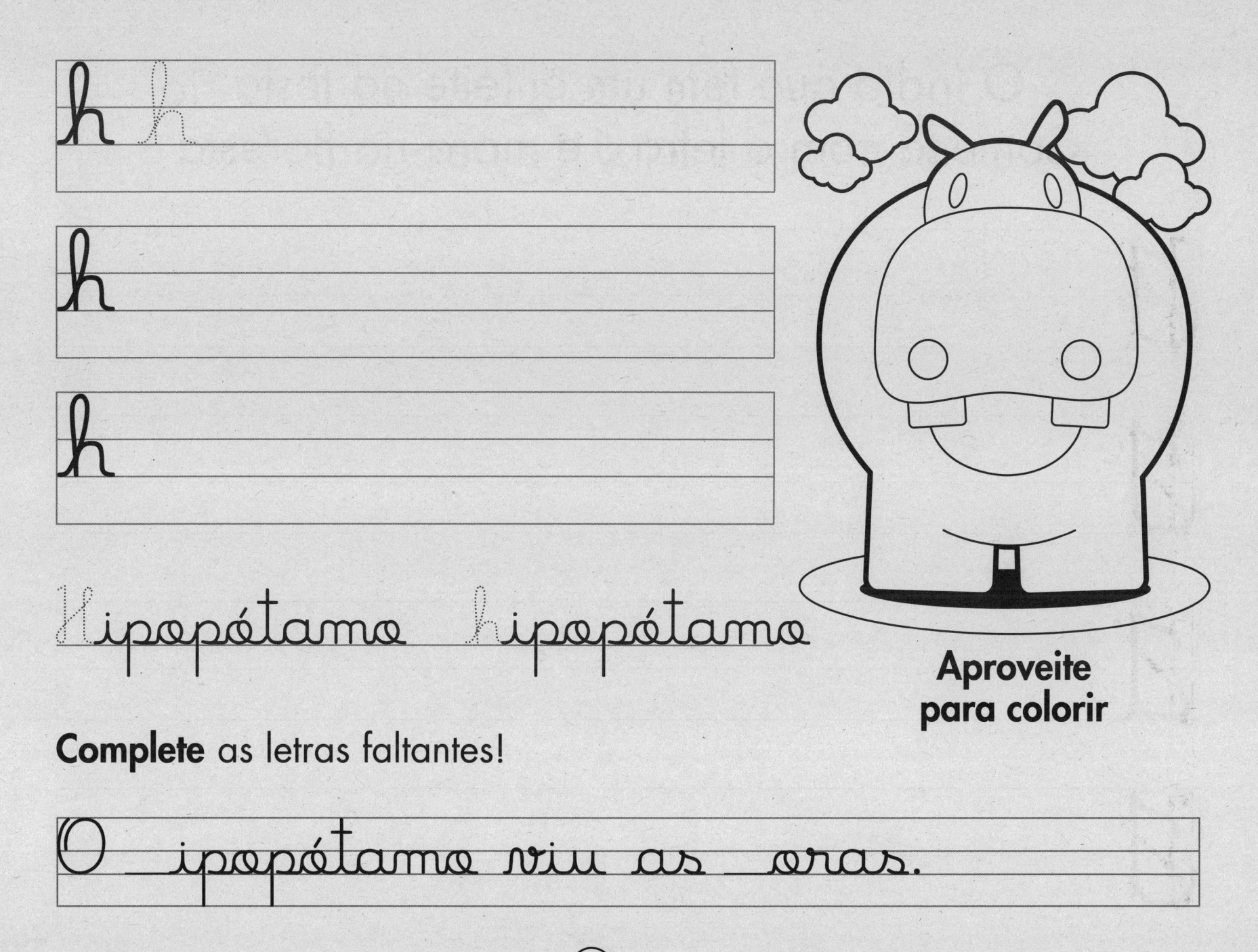

h

h

Hipopótamo hipopótamo

Aproveite para colorir

Complete as letras faltantes!

O _ipopótamo viu as _oras.

O índio que tem um enfeite na testa
Começa com a letra J e mora na floresta

i i

i

i

Índio índio

Aproveite para colorir

Complete as letras faltantes!

O_ndo _ndo _adava no r o.

O jacaré que toma banho tranquilo
Começa com a letra J e é primo do crocodilo

j j

j

j

Jacaré jacaré

**Aproveite
para colorir**

Complete as letras faltantes!

O_acaré _ogou a bola.

O kiwi é uma fruta muito gostosa
Começa com a letra k e a mamãe acha deliciosa

k   k

k

k

k

k k

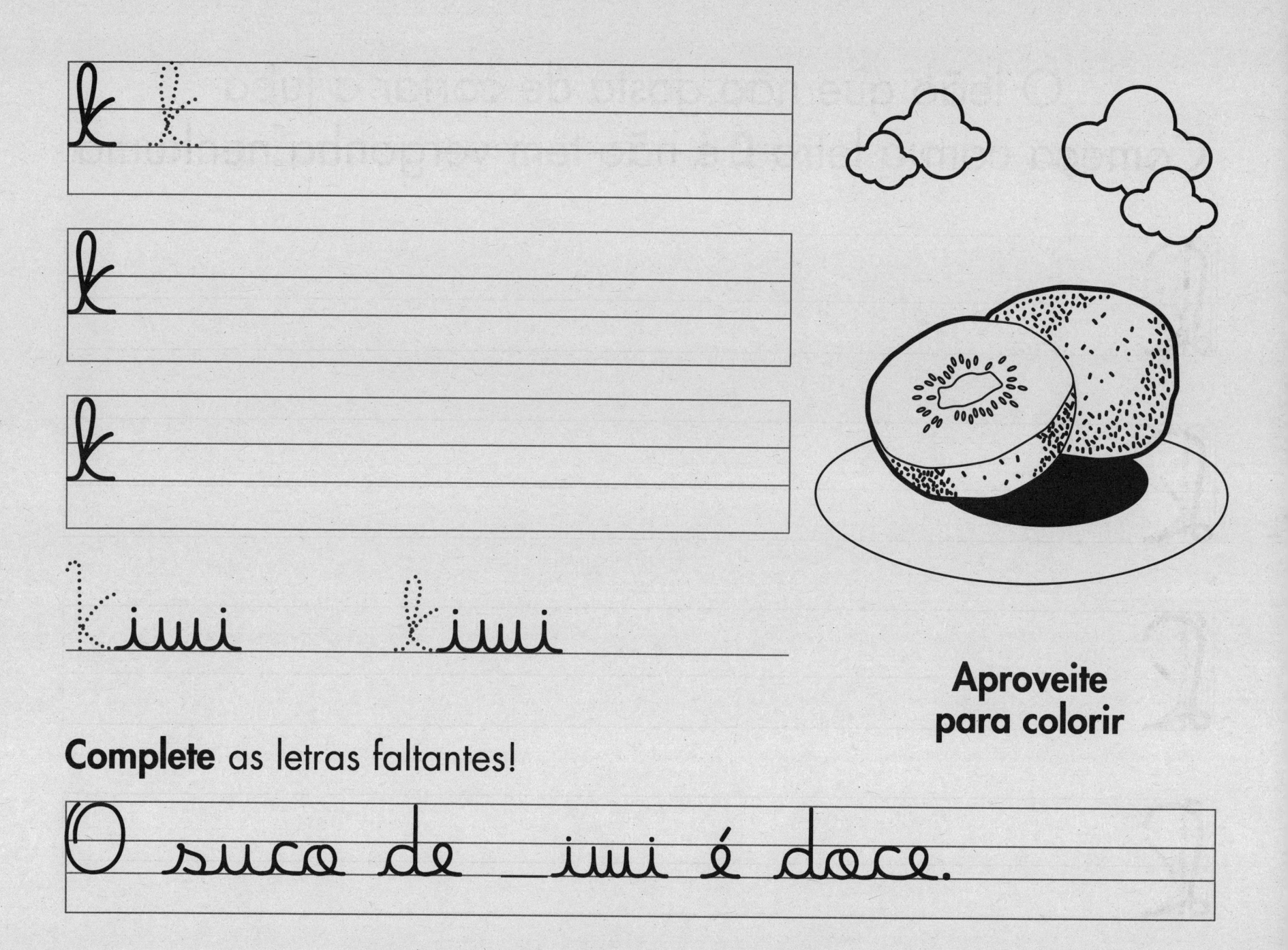

k

k

kiwi   kiwi

Aproveite para colorir

Complete as letras faltantes!

O suco de kiwi é doce.

O leão que não gosta de cortar a juba
Começa com a letra ℒ e não tem vergonha nenhuma

ℒ

ℒ

ℒ

ℒ

l l

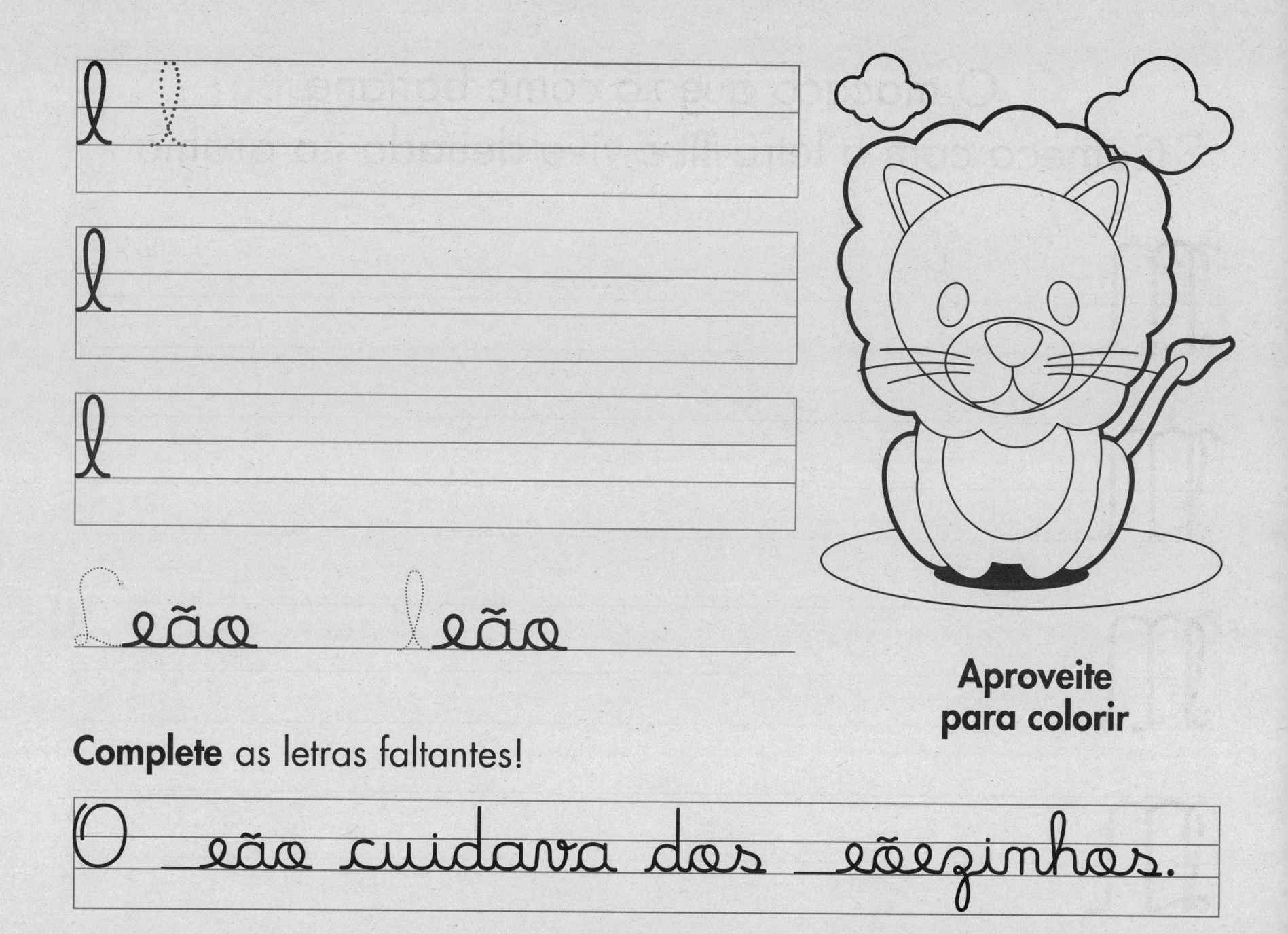

l

l

Leão leão

Aproveite para colorir

Complete as letras faltantes!

O ___eão cuidava dos ___eõezinhos.

O macaco que só come banana
Começa com a letra m e vive deitado na grama

m m

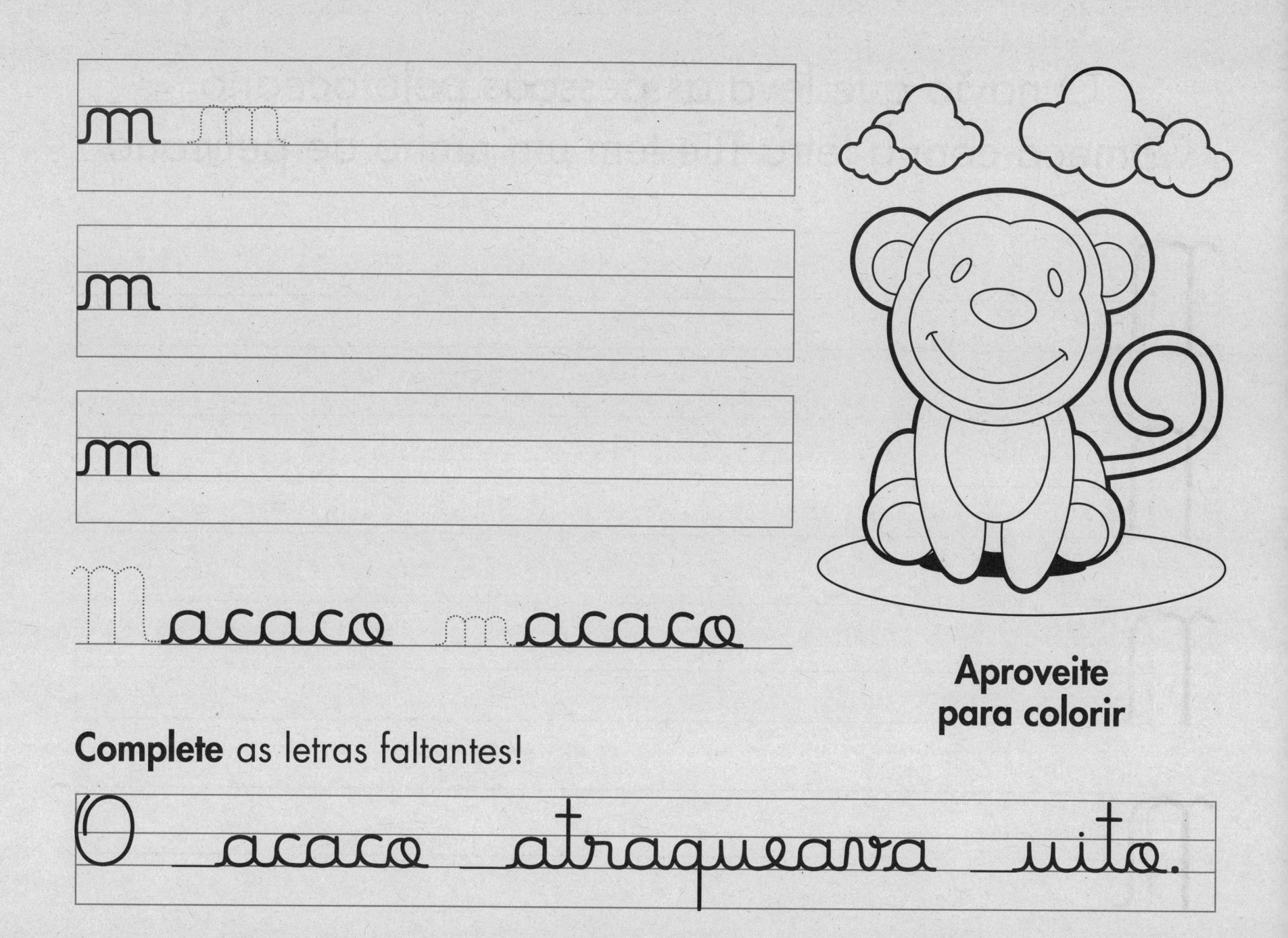

m

m

macaco macaco

Aproveite para colorir

Complete as letras faltantes!

O acaco atraqueava uito.

O navio que leva as pessoas pelo oceano
Começa com a letra n e tem um ninho de pelicano

m *m*

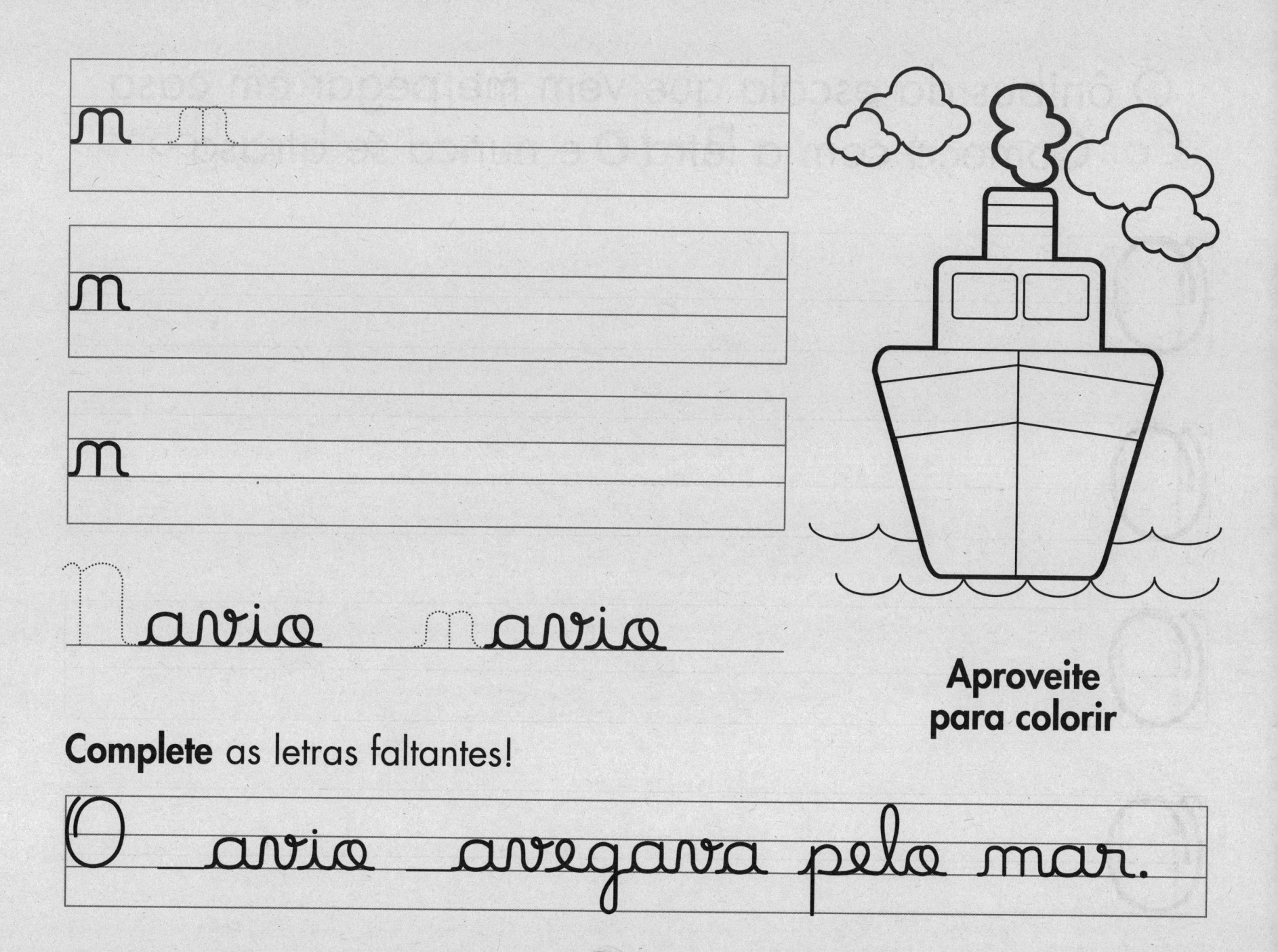

m

m

Navio navio

Complete as letras faltantes!

O avio avegava pelo mar.

O ônibus da escola que vem me pegar em casa
Começa com a letra O e nunca se atrasa

O   O

O

O

O

Ô ô

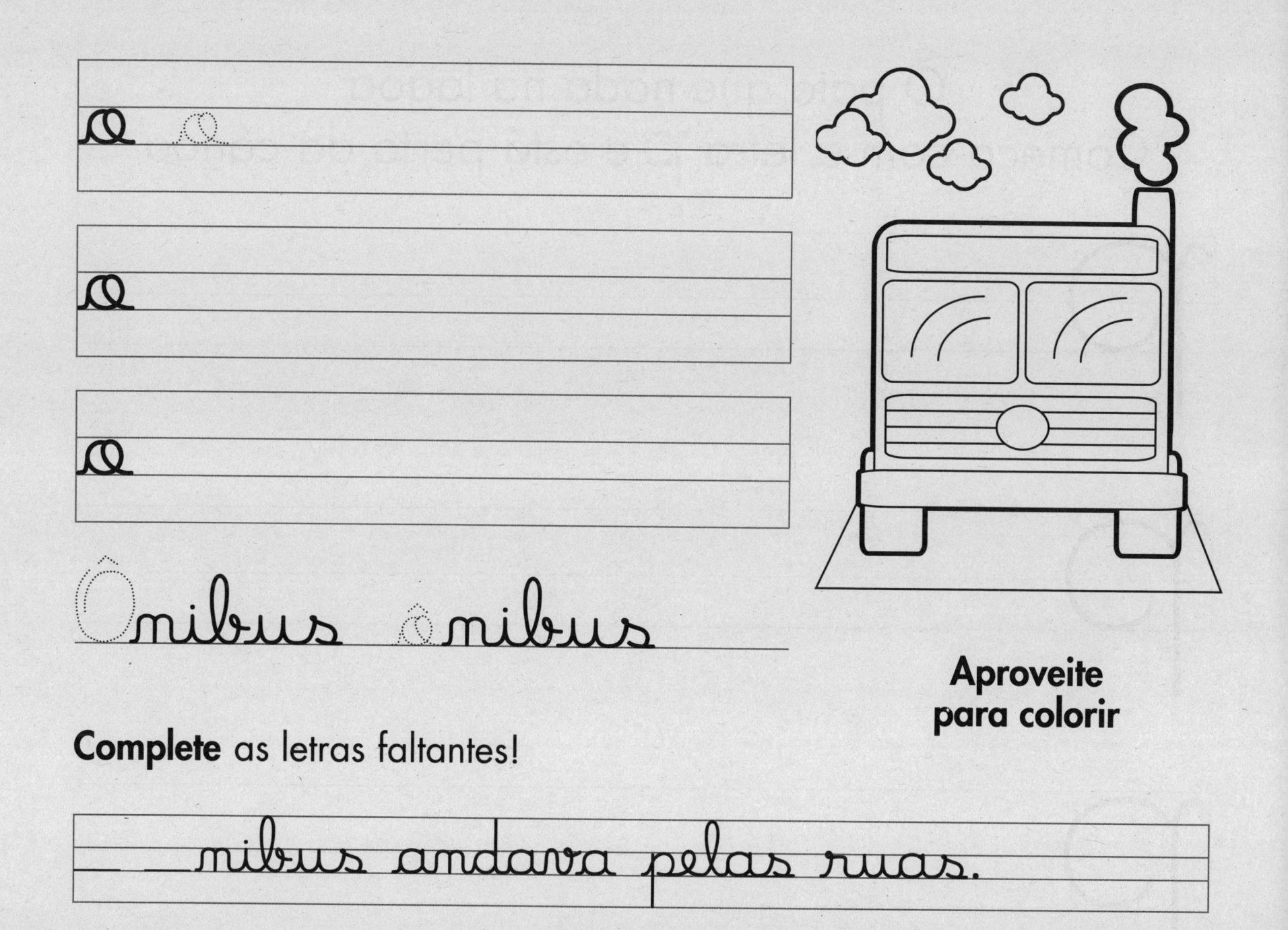

Ô ô

Ô ô

Ônibus ônibus

Aproveite para colorir

Complete as letras faltantes!

___nibus andava pelas ruas.

O pato que nada na lagoa
Começa com a letra p e está perto da canoa

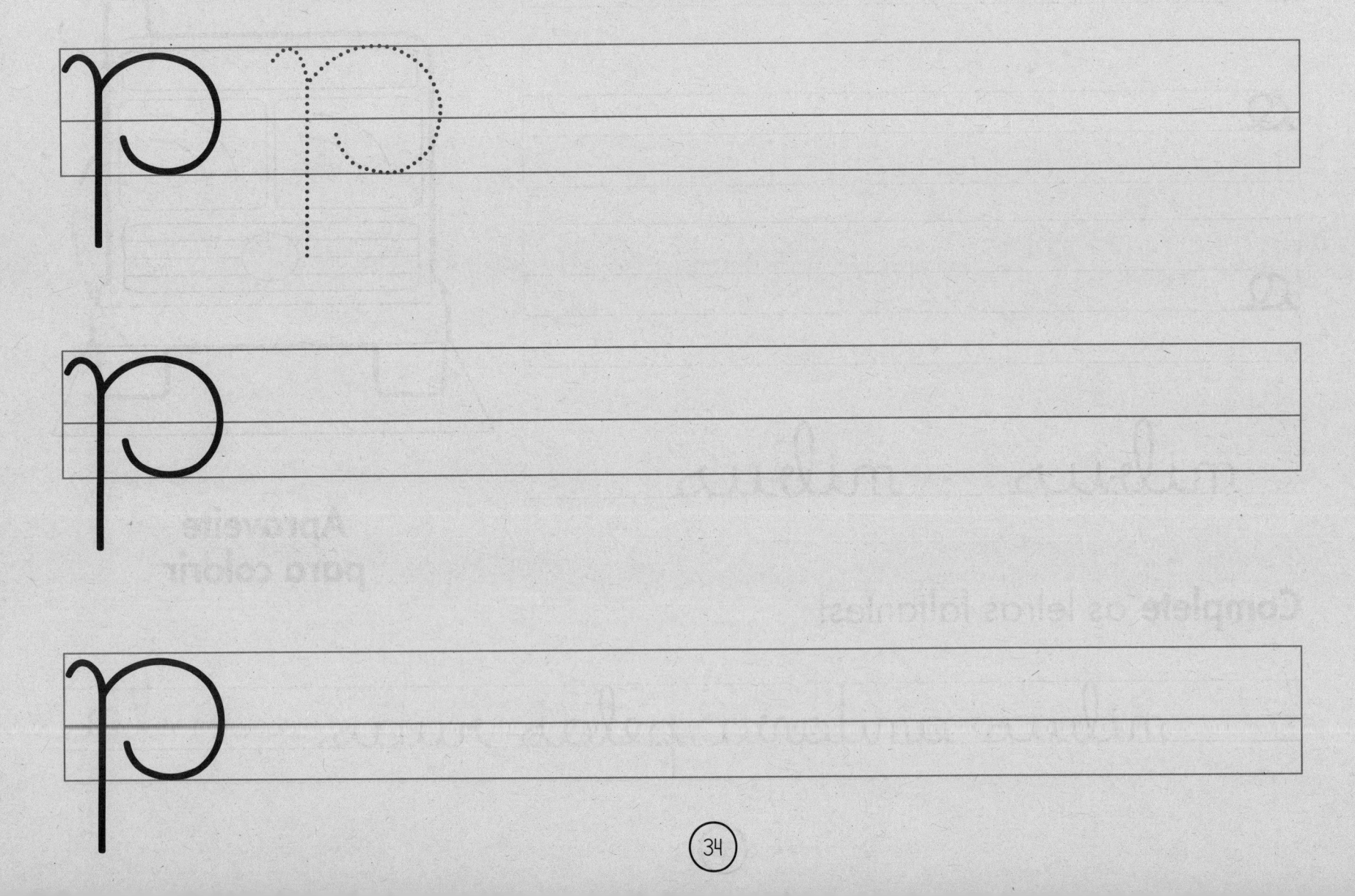

p p

p

p

Pato pato

**Aproveite
para colorir**

Complete as letras faltantes!

O _ato _ateta _intou a _anela.

O quati que mora na mata
Começa com a letra Q e não gosta de batata

Q   Q

Q

Q

Q

q

q

q

Quati quati

**Aproveite
para colorir**

Complete as letras faltantes!

O ____uati corria pelas árvores.

O rato que tem medo do gato
Começa com a letra R e é amigo do pato

R R

R

R

R

r *r*

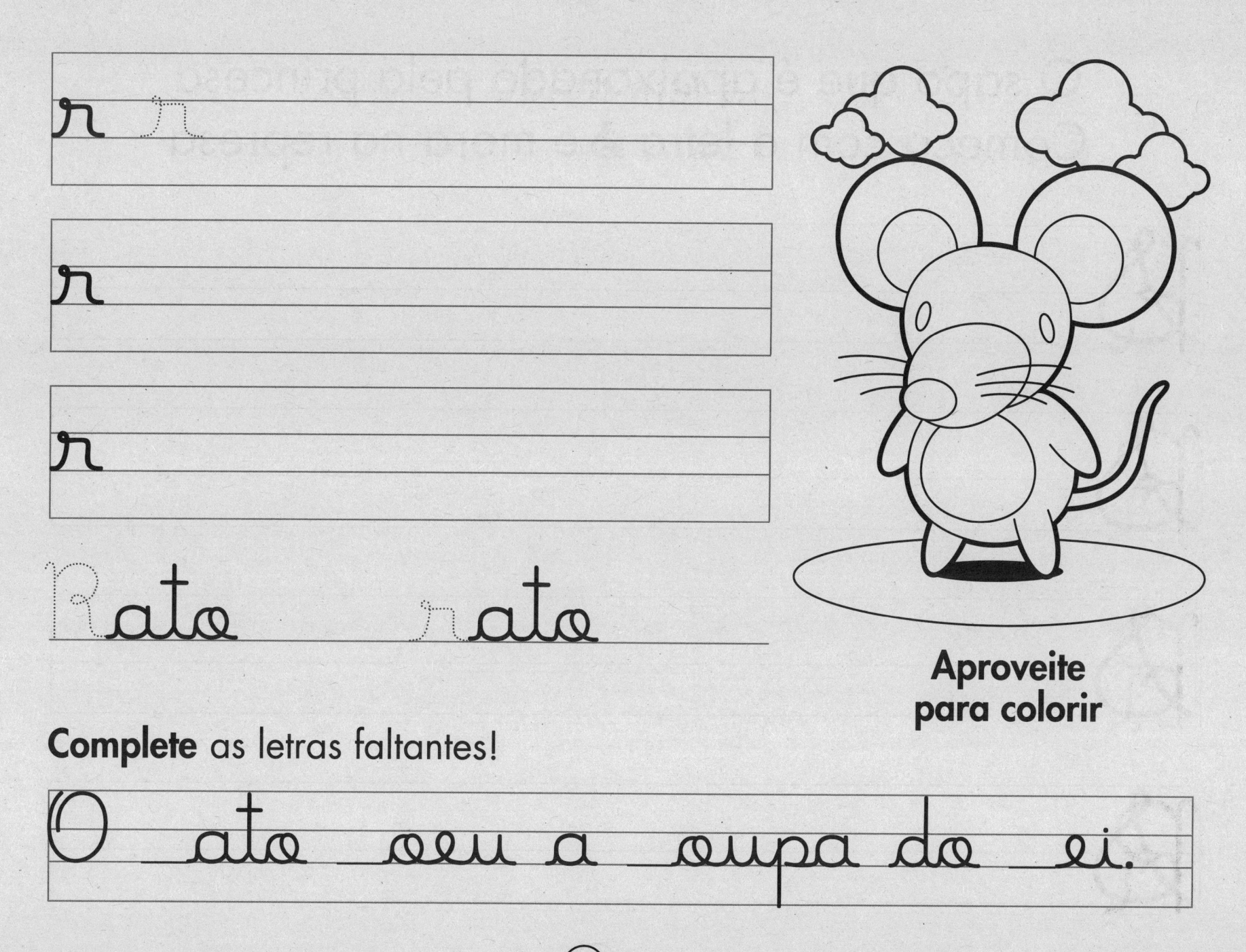

r

r

Rato rato

Aproveite para colorir

Complete as letras faltantes!

O ato oeu a oupa do ei.

O sapo que é apaixonado pela princesa
Começa com a letra s e mora na represa

s   s

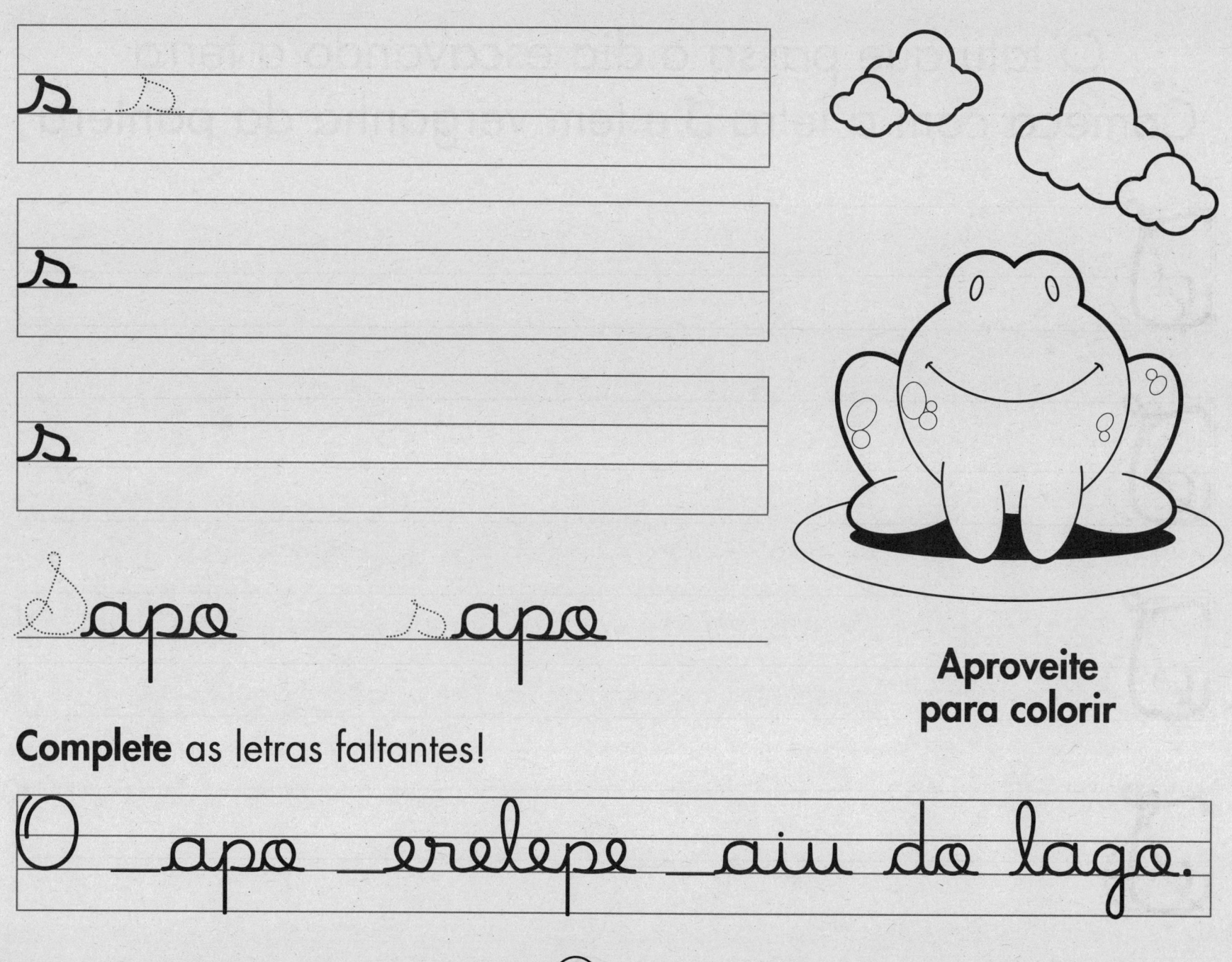

s

s

sapo   sapo

Aproveite para colorir

Complete as letras faltantes!

O _apo _relepe _aiu do lago.

O tatu que passa o dia escavando a terra
Começa com a letra J e tem vergonha da pantera

t t

t

t

Tatu tatu

Aproveite para colorir

Complete as letras faltantes!

O a u corre pelo gramado.

O urso que é primo do panda
Começa com a letra u e toca guitarra em uma banda

u u

u

u

u

u u

u

u

Urso urso

Aproveite para colorir

Complete as letras faltantes!

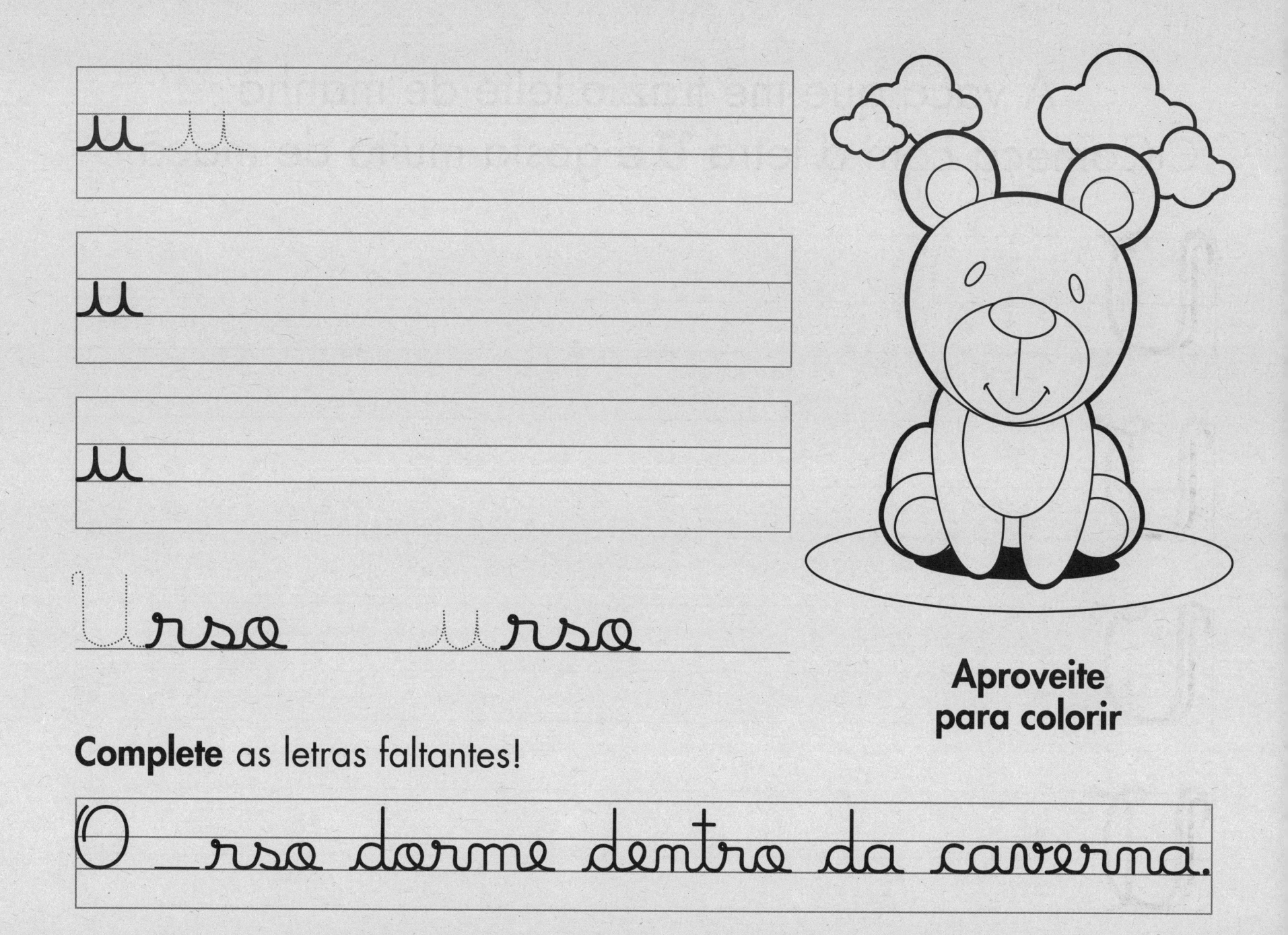

O _rso dorme dentro da caverna.

A vaca que me traz o leite de manhã
Começa com a letra 𝒰 e gosta muito de maçã

v v

v

v

Vaca vaca

Aproveite para colorir

Complete as letras faltantes!

A _aca mugiu no pasto.

O wallabee que parece um canguru
Começa com a letra w e é vizinho do tatu

𝓌

𝓌

𝓌

𝓦allabee 𝓌allabee

Aproveite para colorir

Complete as letras faltantes!

𝓞 _____allabee mora na 𝓒ustrália.

O xilofone que é um instrumento musical
Começa com a letra x e tem um som muito legal

𝓍 𝓍

𝓍

𝓍

𝓧ilofone 𝓍ilofone

Aproveite para colorir

Complete as letras faltantes!

𝒪 ___ ilofone tem um belo som.

O yakisoba é uma comida japonesa
Começa com a letra y e vai ser servido na mesa

y y

y

y

y y
y
y

yakisoba yakisoba

Aproveite para colorir

Complete as letras faltantes!

O _akisoba é feito com macarrão.

53

A zebra que é tio do cavalo
Começa com a letra ぞ e gosta muito do trabalho

𝒵 𝒵

𝒵

𝒵

𝒵ebra   𝒵ebra

Aproveite para colorir

Complete as letras faltantes!

A _ebra _an_ava pela savana.

Exercícios
Vamos lembrar de todas as letras? Primeiro as maiúsculas!

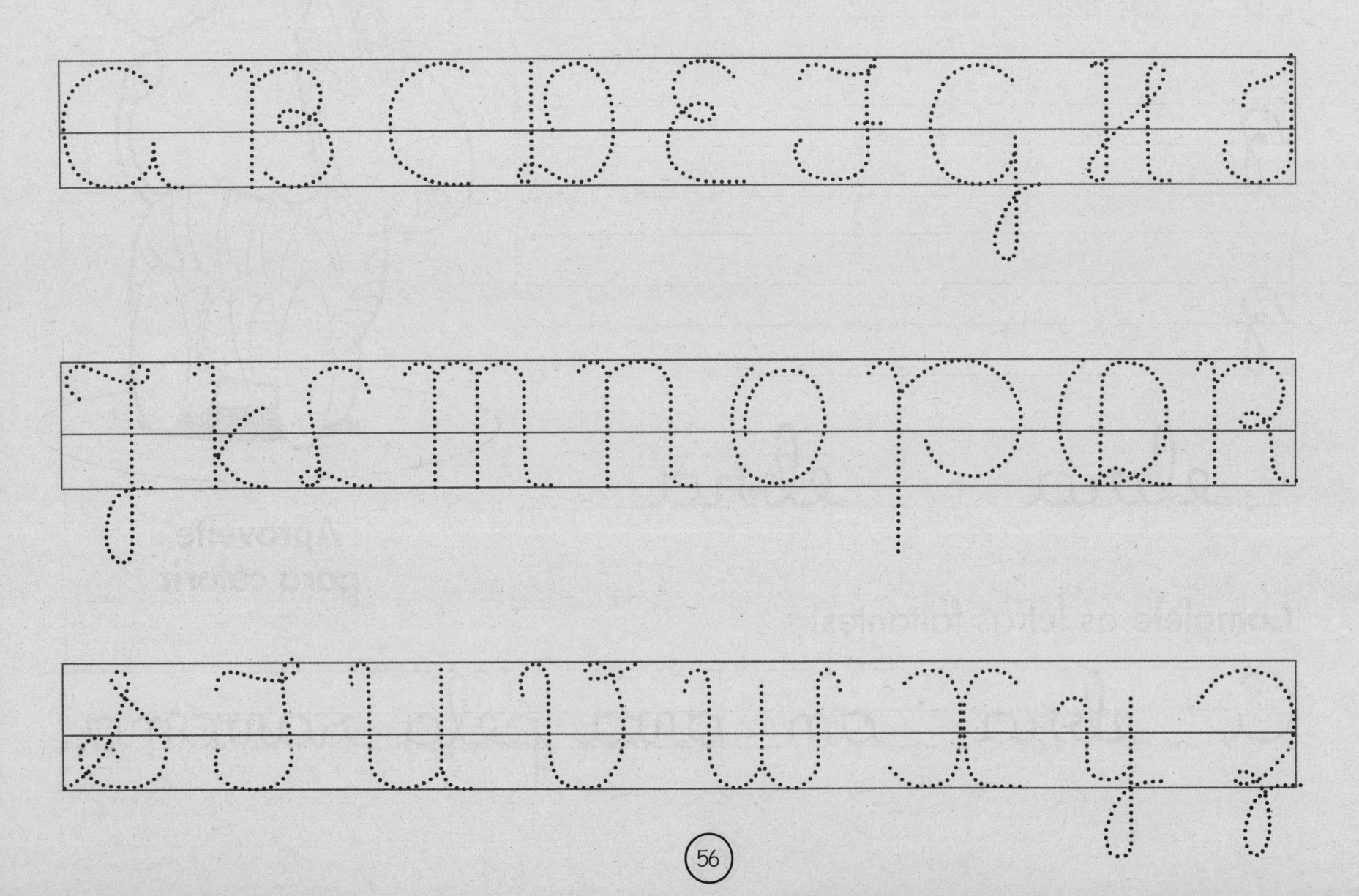

A B C D E F G H I J

K L M N O P Q R

S T U V W X Y Z

E agora as minúsculas!

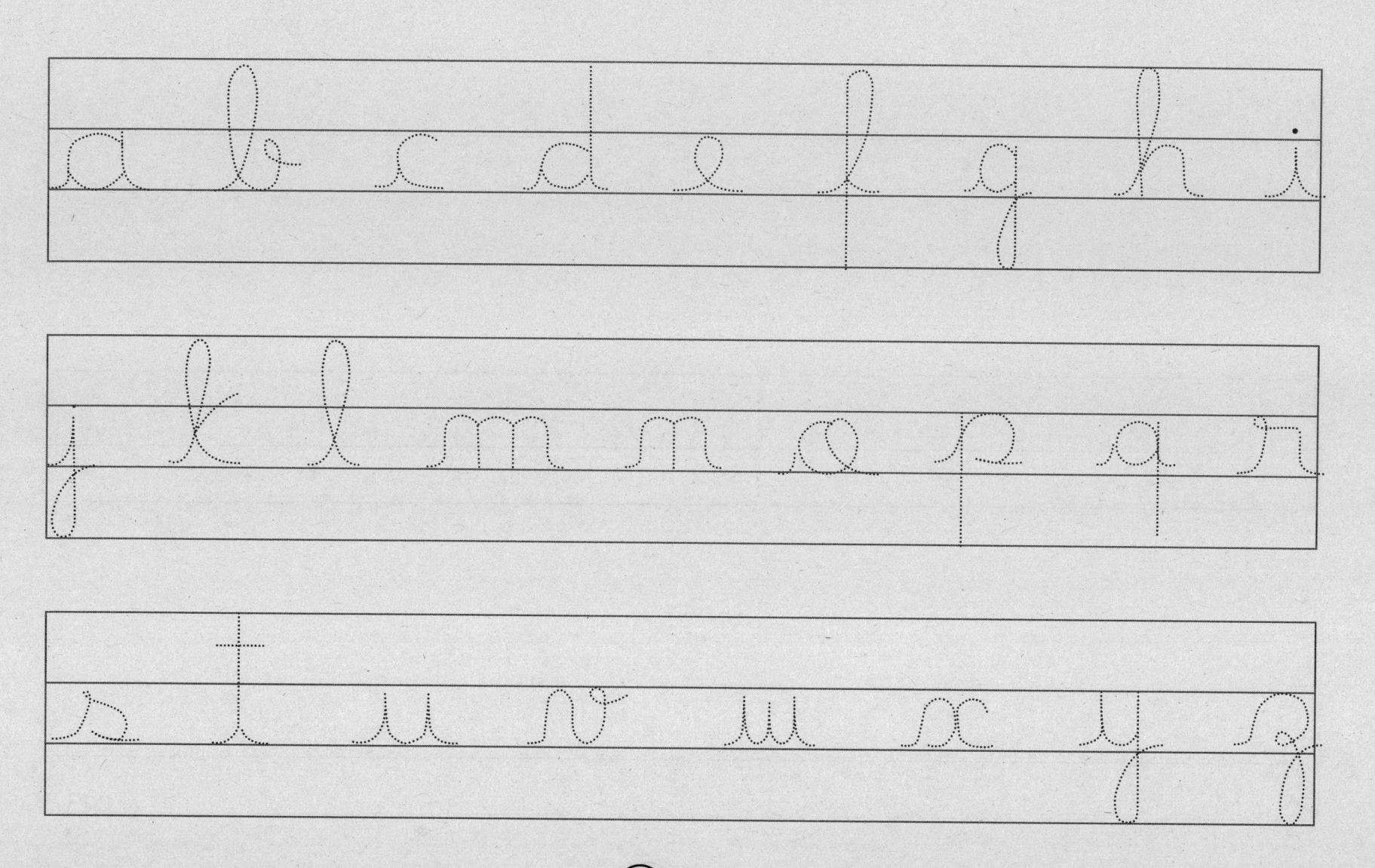

a b c d e f g h i

j k l m n o p q r

s t u v w x y z

Exercícios
Vamos escrever seu nome? Primeiro as maiúsculas!

E agora as minúsculas!

E agora, vamos conhecer os números!

1 2 3 4 5 6 7 8 9 0

Anotações

Anotações

Anotações

Anotações